小朋友的大问题

Sweet
甜甜的

孟庆金◎主编　[越]黎氏英秋◎绘

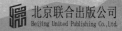
北京联合出版公司
Beijing United Publishing Co.,Ltd.

图书在版编目 (CIP) 数据

小朋友的大问题. 甜甜的 / 孟庆金主编 ; (越) 黎氏英秋绘. -- 北京 : 北京联合出版公司, 2020.10

ISBN 978-7-5596-4007-9

Ⅰ . ①小… Ⅱ . ①孟… ②黎… Ⅲ . ①常识课—学前教育—教学参考资料 Ⅳ . ① G613

中国版本图书馆 CIP 数据核字 (2020) 第 156522 号

小朋友的大问题

甜甜的

选题策划：巨麦图书
出 品 人：赵红仕
项目策划：冷寒风
责任编辑：徐　鹏
特约编辑：胡婷婷
主　　编：孟庆金
插图绘制：[越] 黎氏英秋
美术统筹：段　瑶
封面设计：段　瑶

北京联合出版公司出版
（北京市西城区德外大街83号楼9层　100088）
鸿博睿特（天津）印刷科技有限公司　新华书店经销
字数5千字　765×1320毫米　1/24　1.5印张
2020年10月第1版　2020年10月第1次印刷
ISBN 978-7-5596-4007-9
定价：18.80元

目录

人为什么会喜欢吃甜食？

可爱的蛋糕、饼干、冰激凌、糖果、泡芙……这些带有甜味的食物都是甜食。

我们的祖先最喜欢有甜味的水果！它们不仅好吃，还能带来热量。这种本能被保留下来，甚至影响到后来的我们。

相传，很久以前的法兰克人相信植物的神灵和仙女喜欢甜食，因此会用点心来供奉他们。

后来，世界上有越来越多的甜食出现。英国人甚至会在喝下午茶时品尝各种甜食。

现在，我们有更多甜食可以吃了！

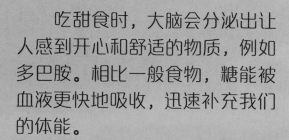

吃甜食时，大脑会分泌出让人感到开心和舒适的物质，例如多巴胺。相比一般食物，糖能被血液更快地吸收，迅速补充我们的体能。

3

糖从哪里来?

以前没有糖，人们靠蜂蜜让食物有甜味。他们甚至还会冒着被蜜蜂蜇、从高处摔下来的风险去采集蜂蜜。

古埃及人3000多年前存放的蜂蜜至今还能食用!

古埃及人为了能吃到蜂蜜还学会了怎样驯化蜜蜂!

现在我们能用甘蔗和甜菜制出糖了。人们把甘蔗或甜菜碾碎，挤出甜甜的汁液来，慢慢地就能熬出一粒粒的小糖晶了！

甘蔗十分喜欢土壤肥沃、阳光充足的地方。

甜菜则喜欢温凉的气候。

5

7

大人也喜欢吃甜食吗？

不只是小朋友，很多大人也喜欢吃甜食。

波兰作曲家、钢琴家肖邦住在诺昂城堡时，每天都要喝上一杯热巧克力。

法国大文豪普鲁斯特在品尝玛德琳小蛋糕时，突然有了灵感，由此写出了小说《追忆似水年华》！

西班牙画家毕加索喜欢在完成作品后吃土耳其软糖。

小朋友为什么比大人更喜欢吃甜食?

在我们的舌头上有许多小突起,它们是舌乳头。味蕾就在舌乳头上,它可以帮助我们尝出食物的味道。

小朋友的味蕾比大人多,所以对甜味更敏感,会更喜欢吃甜食。

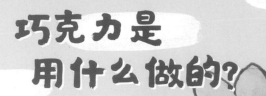

巧克力是用可可果的种子——可可豆做出来的。

叶

种子

可可果

可可果与树干连接得很结实,所以摘可可果时需要用刀砍。高处的可以用钩镰枪摘下。

12

我是可可树!

可可果是少有的直接长在树干上的果实。

花

可可树很喜欢温暖、湿润的地方,它们住在遥远的美洲。可可果就生长在可可树上。

猫、狗、马等动物不适合吃巧克力,这容易让它们中毒。

1.2.3……

数一数,一颗可可果里大约有**20~40**颗种子!嚼一下,还是苦的呢!

用刀或木棒砸开可可果后，就能取出白色的果肉。

白色的果肉

想要有巧克力的味道，首先要把带着果肉的可可豆放在恒温容器中发酵，并定期翻动。

果肉会随着温度的升高慢慢消失。几天后，种子就变成褐色的、拥有独特风味的可可豆了！

为了方便保存和运输，发酵后的可可豆需要晾晒，除去可可豆中的水分。

这颗豆看上去真不赖！

晒好后，工人会进行筛选，然后把合格的可可豆装进袋中，运送到世界各地的巧克力工厂去。

让我们走进巧克力工厂看一看！

巧克力工厂的工人正在除掉可可豆里掺杂的树枝和小石子。

去壳后，把可可豆磨成原浆，再分解成可可粉和可可脂。

然后把可可豆在高温下进行烘烤。这样十分便于去壳。

哇！好香啊！

巧克力工厂是怎么制作巧克力的？

接下来，将可可粉、可可脂、糖、牛奶等原料，按比例混合在一起。

可可粉

可可脂

巧克力的熔点接近于人的体温，所以入口即化！

最后就能通过机器和模具塑造出不同形状的巧克力！

17

很久很久以前，玛雅人和阿兹特克人就用
可可豆做出了很苦但很提神的饮料——苦水。

可可豆是怎么"跑"到全世界的？

500多年前，西班牙人来到阿兹特克王国，发现了可可豆，回国后把可可豆献给了自己的国王，可可豆由此传入欧洲。

可可豆曾被阿兹特克人当作货币使用。

后来，可可豆被欧洲人做成巧克力，开始在世界传播开来。那时的巧克力十分昂贵，只有贵族和有钱人才吃得起。

蛋糕做失败了也能成为一种新蛋糕吗？

一个美国老奶奶正在厨房做巧克力蛋糕。糟糕！她忘记打发黄油了！但是最后做出的蛋糕十分美味。

后来，布朗尼这个"可爱的错误"就成了美国最具代表性的蛋糕。

打发黄油

更蓬松！更细腻！

忘记打发黄油，你很有可能

会做出布朗尼哟~

拉明顿勋爵的宴会上，一块海绵蛋糕不小心掉进了巧克力液中。厨师端给客人品尝时竟意外地大受好评！这款蛋糕便以拉明顿勋爵的名字命名。为避免手上沾满巧克力，拉明顿还被裹上了椰蓉！

不同味道的巧克力加牛奶可以做出不同颜色的拉明顿！

百香果巧克力 → 白色牛奶变成粉色酱汁了哟！ → 黄色拉明顿

草莓巧克力 → → 粉色拉明顿

黑巧克力 → → 棕色拉明顿

饼干上为什么会有小洞洞?

饼干王国里有很多成员: 曲奇饼干、苏打饼干、夹心饼干、威化饼干、手指饼干、注心饼干、压缩饼干、圣诞饼干……

据说饼干的"祖先"来自一场风暴。一艘帆船出海时不幸遇到风暴,人们只好待在一座小岛上。他们没有东西吃,于是就把被水淹了的面粉、糖、奶油等混在一起,用火烤着吃。饼干就这样被发明出来!

后来，人们还会在饼干上戳洞洞。为什么要戳洞洞呢？这是为了在烤制时给饼干排气，免得饼干鼓起来。热气从小洞洞散出后，制成的饼干就不会变形啦！好看又松脆！

甜甜圈为什么也有洞洞？这是为了让它在烤制时受热更加均匀，以免外部熟了而中间没有熟。

呼！

救命啊！

变形的饼干

面包是谁发明的?

相传在很久以前，一个古埃及的奴隶为主人做饼时不小心睡着了，面饼在夜晚慢慢发酵、膨大。奴隶醒来后连忙把饼塞到炉子上烤，但是它却和以往的饼不一样，主人发现这比过去的饼好吃多了，又松又软。面包就这样诞生并流传下去。

磨面女工　　烘焙师

喜欢吃甜味的古埃及人，还会在面团中加入椰枣或蜂蜜。添加蜂蜜还可以吸引到空气中更多的酵母菌！

酵母菌在拼命地呼吸、繁殖的过程中，会生成大量的二氧化碳气体，面团就膨胀起来，变得非常蓬松。

埃及　　希腊　　罗马

后来，面包通过埃及传入希腊，再传入罗马，渐渐发展到世界各地。

我们有面包可以吃啦！

冰激凌是怎么发明的?

公元前4世纪，为了提高士兵的士气，亚历山大大帝命人保存高山上的雪，然后加入水果或果汁给士兵吃。

公元1世纪，罗马皇帝尼禄效仿亚历山大大帝，命人从附近的高山上取冰和雪，然后加入蜂蜜和果汁来解暑。

中国是最早发明冰激凌的国家之一。唐朝时，贵族会把储藏的冰块凿成碎冰，加上奶油，做成"酥山"。宋朝时，商人对冰块进行改良，把水果捣成汁放入冰中。

到了元朝，人们把果酱、牛奶放入冰中，做出来的质地像沙泥一般，入口即化。

16世纪时，人们将水、牛奶、糖、香料等倒进锡罐，然后将锡罐放入装有大量雪和盐的木桶中。一直搅拌，冰激凌就做好了！

19世纪，美国人南希·约翰逊发明了手摇曲柄式冰激凌机。自此，人们可以方便地大量制作冰激凌了。

几年后，一个美国牛奶商人在美国建立了世界上第一家冰激凌工厂。1904年，蛋卷冰激凌在美国圣路易斯世界博览会上诞生了！

我！

我！

我！

有人要买冰激凌吗？

连大画家毕加索都无法抗拒冰激凌的魅力！画了《戴着草帽吃冰激凌的男子》。

世界上有各种各样的冰激凌：

印度冰激凌

很耐嚼哦！

日本麻薯冰激凌

土耳其
冰激凌

德国
意大利面冰激凌

意大利冰激凌

泰国冰激凌卷

泡芙冰激凌

还有美味的冰激凌火锅！让你可以同时享受
到热巧克力和各种冰激凌！

妈妈为什么不让我多吃甜食呢？

摄入大量糖时，胰腺里的胰岛会开始拼命地工作，并分泌胰岛素调节我们体内的血糖平衡。

但是超负荷工作会让胰岛不堪重负，时间长了，容易提前衰退，让我们生病。

甜食吃太多了可会变胖哦！它会刺激我们的食欲，让我们吃得更多。并且还会影响我们对钙质的吸收，很容易导致骨折！

抗议！
拒绝加班！

30

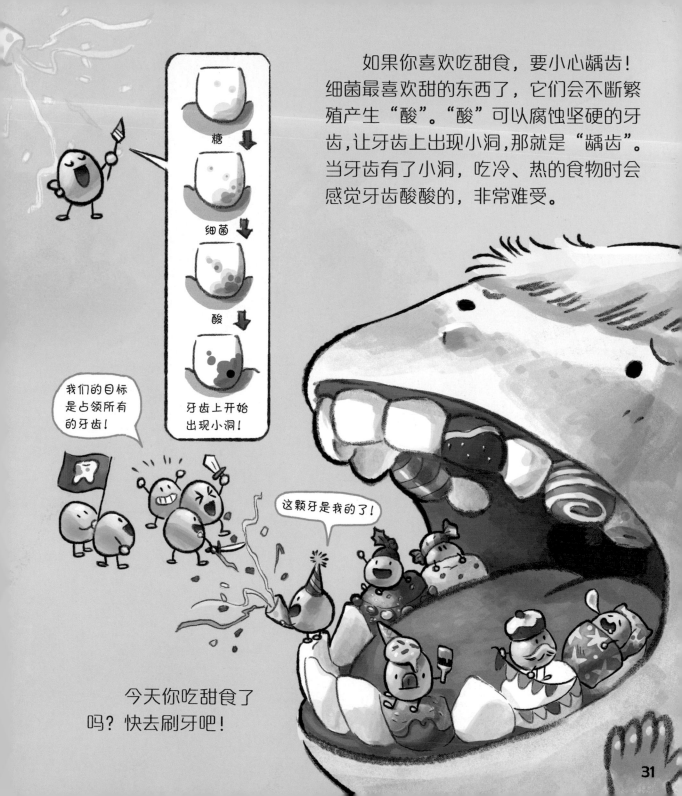

如果你喜欢吃甜食，要小心龋齿！细菌最喜欢甜的东西了，它们会不断繁殖产生"酸"。"酸"可以腐蚀坚硬的牙齿，让牙齿上出现小洞，那就是"龋齿"。当牙齿有了小洞，吃冷、热的食物时会感觉牙齿酸酸的，非常难受。

糖

细菌

酸

牙齿上开始出现小洞！

我们的目标是占领所有的牙齿！

这颗牙是我的了！

今天你吃甜食了吗？快去刷牙吧！

世界上真的有好多
好多美味的甜食啊!

小朋友的大词汇

蛋糕 cake

糖 sugar

棒棒糖 lollipop

饼干 cookie

糖果 candy

冰激凌 ice cream

巧克力 chocolate

甜食 sweet food

面包 bread

甜甜圈 doughnut

蜂蜜 honey